編輯說明

本出版計劃收集了大量與香港舞台製景有關的照片，分別由藝團、藝術家和受訪者提供。本圖集選輯了部分照片，分成以下四部分展示：

景外：照片反映魯師傅在製景廠內，與同事和設計師工作的情況。讀者除了可看到年輕的魯師傅專注工作時的樣子，亦可窺探一些在訪問內提及，有關製景廠內的情況。

景內：照片記錄佈景在劇場內架建的情況，讀者可感受到舞台製作的成果，不能缺少舞美工作者和製景技師的共同努力。

景成：當佈景架建完成後，觀眾就可以透過這空間，探索戲劇世界的無窮想像。

景延：佈景設計師的設計圖和模型，與佈景架建完成後的對照，這些珍貴的圖像，見證了從概念到成果的過程。

海報：展示本出版計劃內曾經收集的佈景照片，這些製作都有魯師傅的參與。

景外

BLACK CURTAIN

ROTATING DOOR

8 steps 8" HIGH
        9" DEPTH
        33" WIDE

BLACK GAUZE

PAINTING
DOCK
W = 72"
H = 90" (from stage
floor)

96"

3 steps

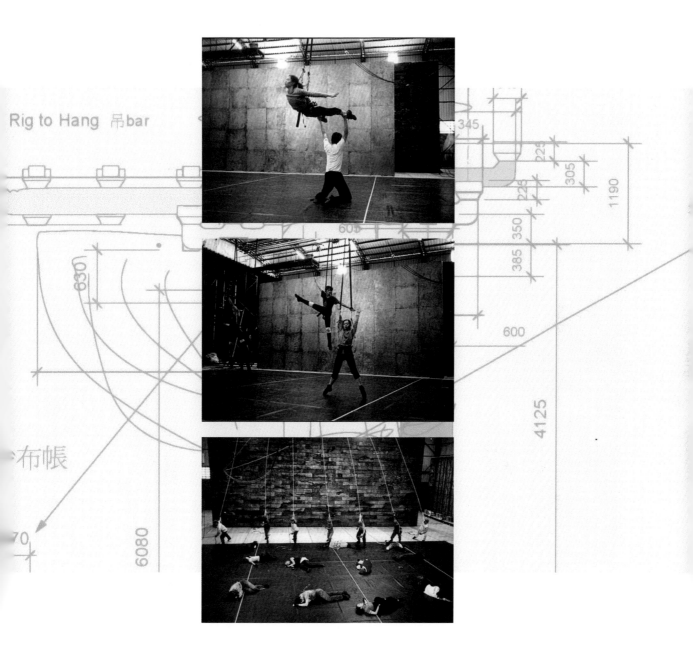

Rig to Hang 吊bar

布帳

景內

North window

1-step platform

Black tap.

do[c]
[...]

b[...]

ACT 2.

Musetta's
entrance

Ghosts

20

ack tap.

Garden
bench

Mim...

stage L.

Act 3

...ello's entrance

waiters'
table

F...

Small Tables
and chairs

...ving

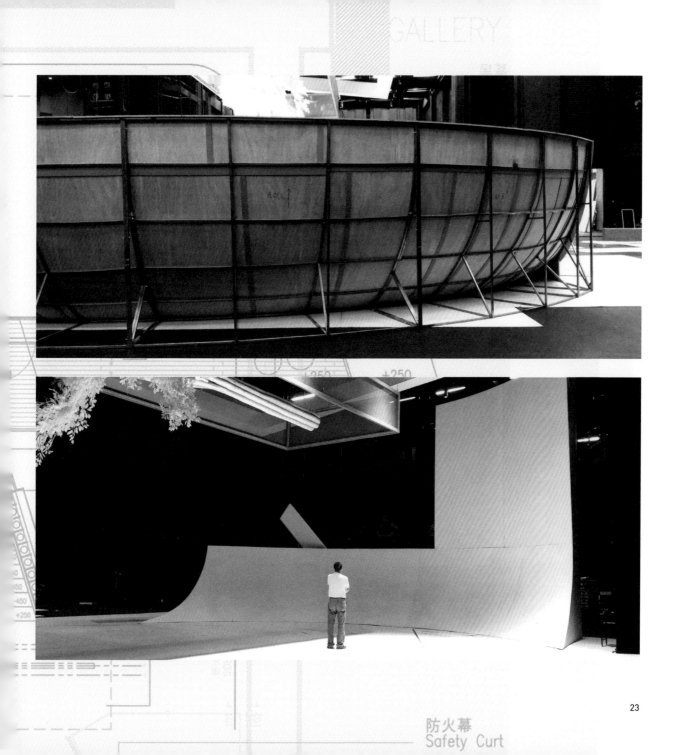

防火幕
Safety Curt

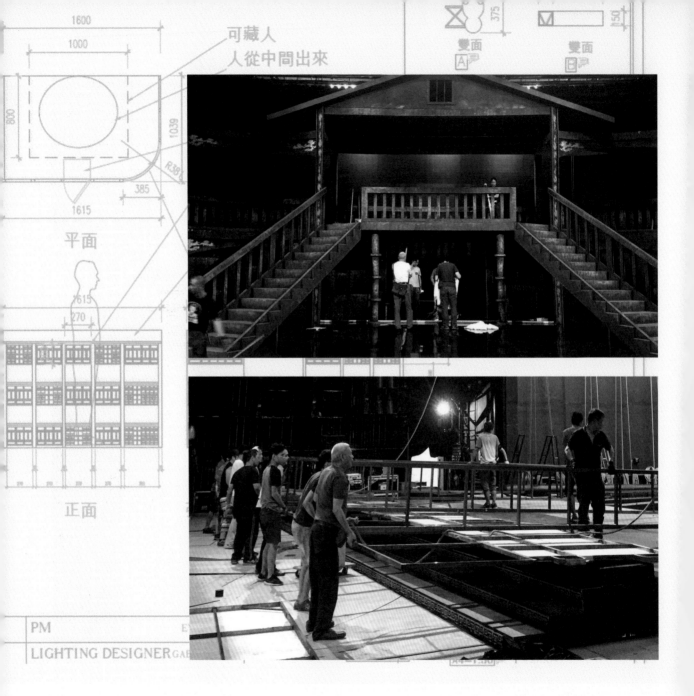

春天舞台製作有限公司《上海之夜》(1997)

景成

臨時市政局主辦、盧景文製作《阿伊達》（1997）

臨時市政局主辦、盧景文製作《波希米亞生涯》（1998）

臨時市政局主辦、盧景文製作《波希米亞生涯》（1998）

康樂及文化事務署主辦、盧景文導演《托斯卡》（2000）

新域劇團《在天台上冥想的蜘蛛》（2001）

新域劇團《在天台上冥想的蜘蛛》（2001）

香港舞蹈團《遷界》（2004）

香港話劇團《鐵娘子》（2005）

大中華文化全球協會《王子復仇記》（2007）

城市當代舞蹈團《非常道》(2009)

PROBLEM

香港戲劇協會《花心大丈夫2》（2011）

同流《山羊》（2011）

同流《山羊》(2011)

香港戲劇工程《凱撒大帝》(2012)

非常林奕華《三國》（2012）

香港話劇團《櫻桃園》（2013）

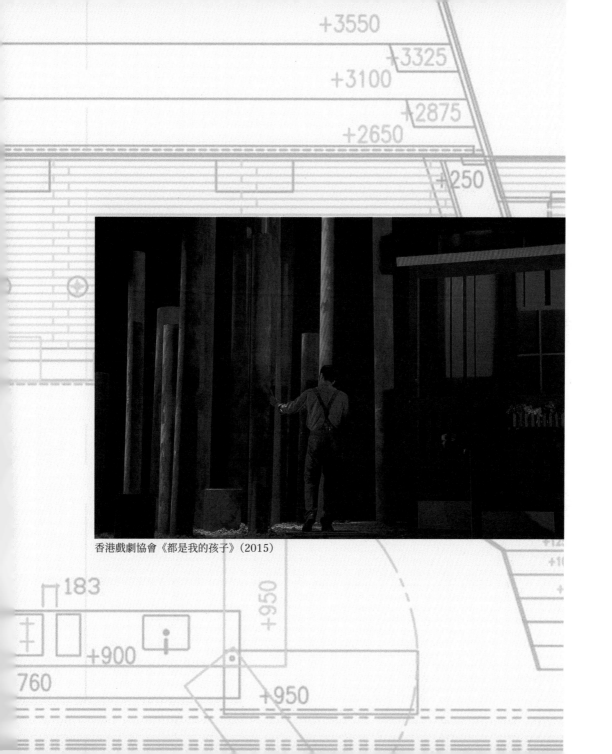

香港戲劇協會《都是我的孩子》（2015）

香港話劇團《結婚》（2015）

香港芭蕾舞團《睡美人》（2015）

香港話劇團《太平山之疫》（2016）

香港話劇團《太平山之疫》（2016）

演戲家族《仲夏夜之夢》（2016）

PROJECT ROUNDABOUT《謊言》(2017)

中英劇團《羅生門》（2018）

49

香港芭蕾舞團《大亨小傳》(2019)

香港芭蕾舞團《小飛俠》（2019）

香港芭蕾舞團《小飛俠》（2019）

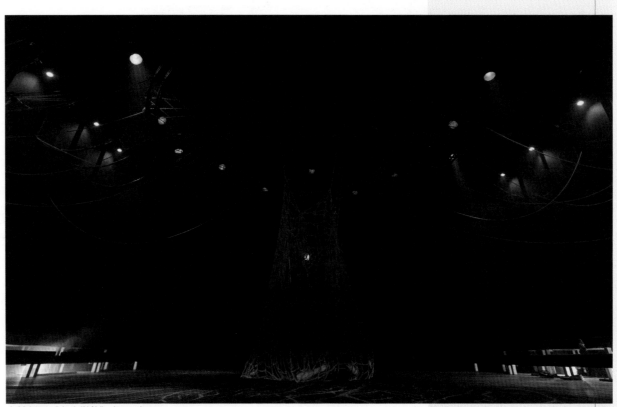

中英劇團《完全變態》(2019)

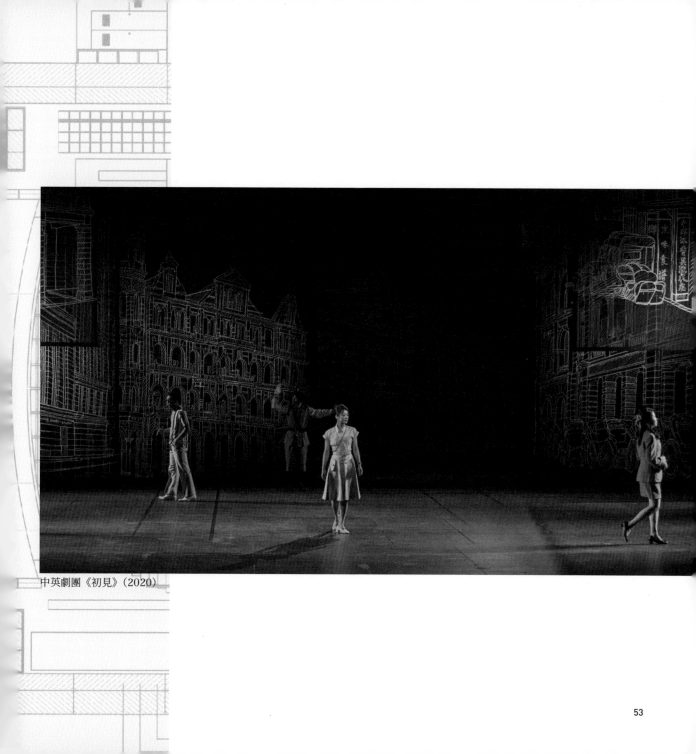

中英劇團《初見》（2020）

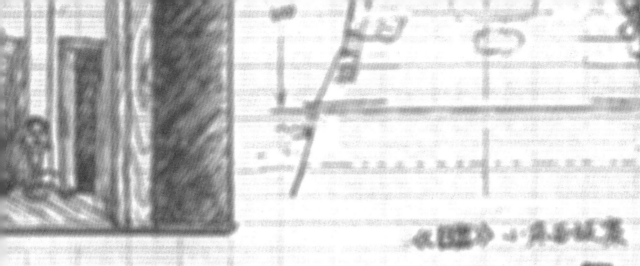

景延

《日出》　舞台設計：虞德義

《一》

TURANDOT 2014

1.5m = 58"

Cyclorama

ROUGH STAGE PLAN
FOR RICKY CHAN'S
REFERENCE ONLY

1.5

1.8

1.5

1.2

2M w.

0.6

w. 2m

w. 8m

4.2

1.2 m

2m

0.4m

GONG

1.5 m.

LKM
24/9/2014

SPACE TO
HOLD 90
PEOPLE

NOT TO SCA
ROUGH MEAS

1.5   1.5

1.5m = 58"

ROUGH STAGE PLAN
FOR RICKY CHAN'S
REFERENCE ONLY

cyclorama

1:8

1:2

1.5

1.5

0.6

2M.

2M

UKM
24/9/2014

SPACE TO
HOLD 90
PEOPLE

PROP

NOT TO SCA
ROUGH MEAS.

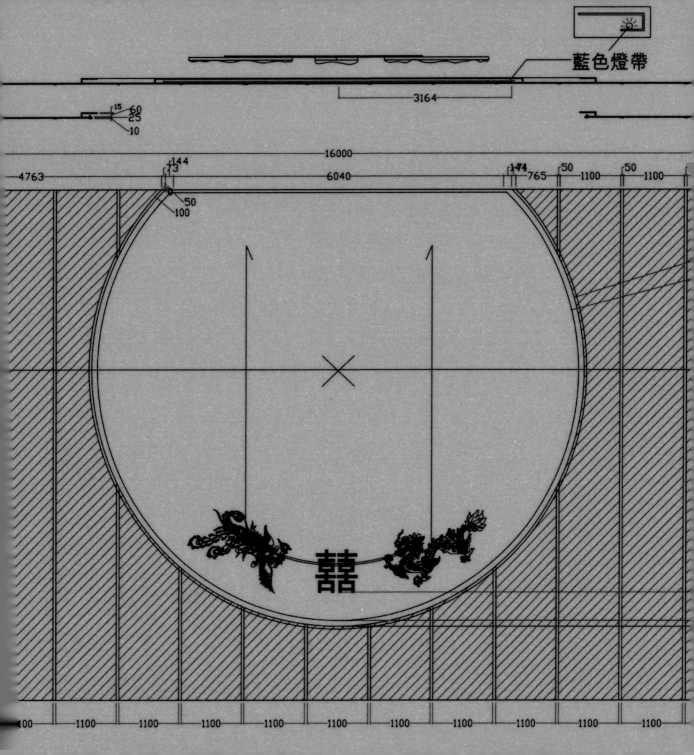

藍色燈帶

3164

15 60
25
10

16000

144
73
4763 6040 174 765 50 1100 50 1100

0
50
100

囍

100 1100 1100 1100 1100 1100 1100 1100 1100 1100 1100

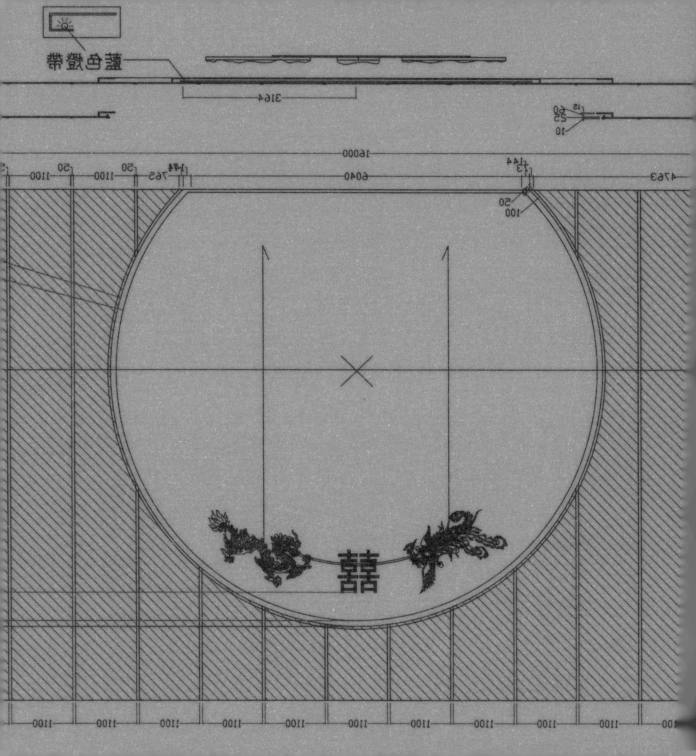

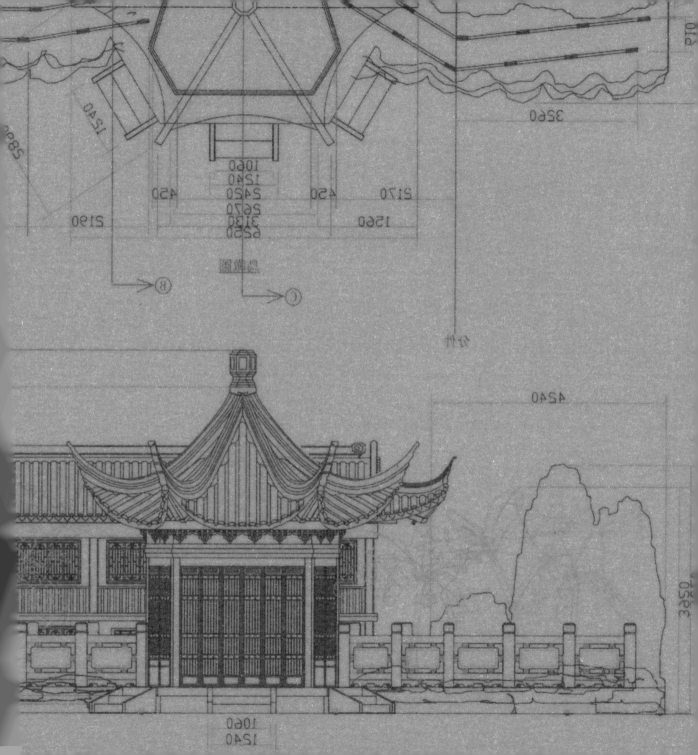

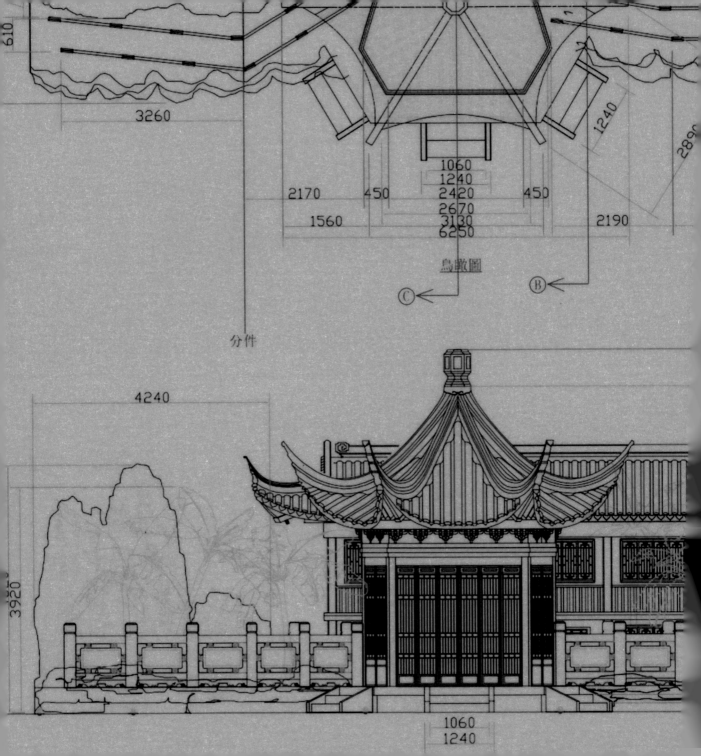

610

3260

1240

2890

2170   450   1060
              1240
              2420   450
2170   450   2190
              2670
1560   3130
              6250

鳥瞰圖

C

B

分件

4240

3920

1060
1240

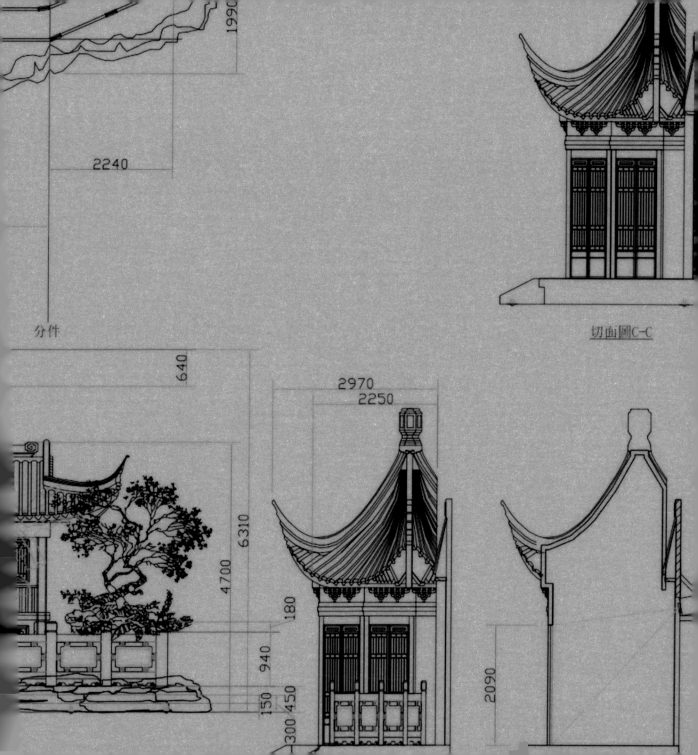

1990

2240

分件

2970

2250

640

6310

4700

180

940

150 450

300

2090

切面圖C-C

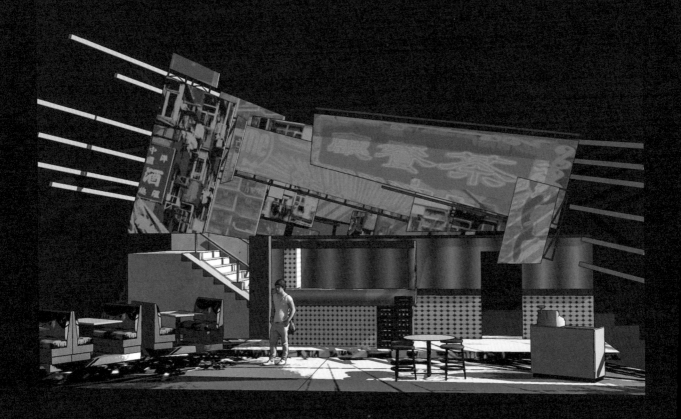

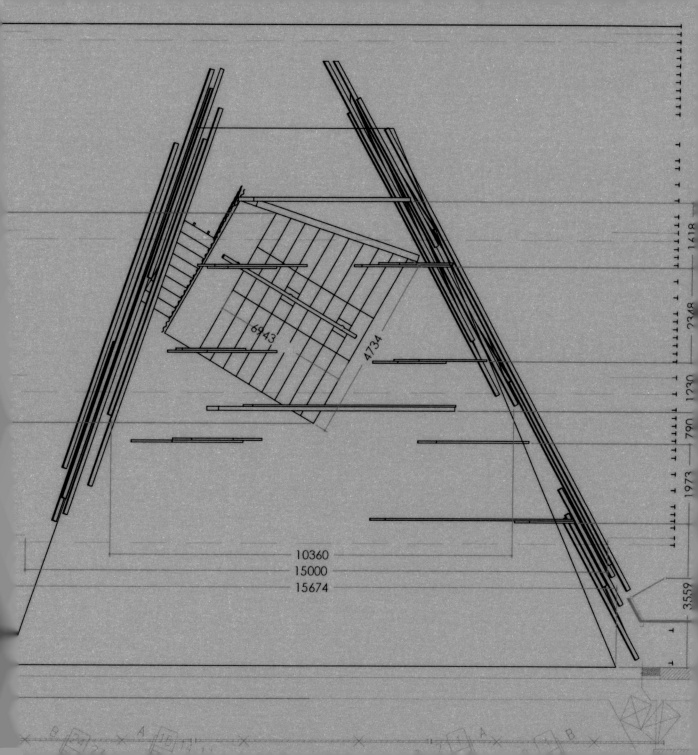

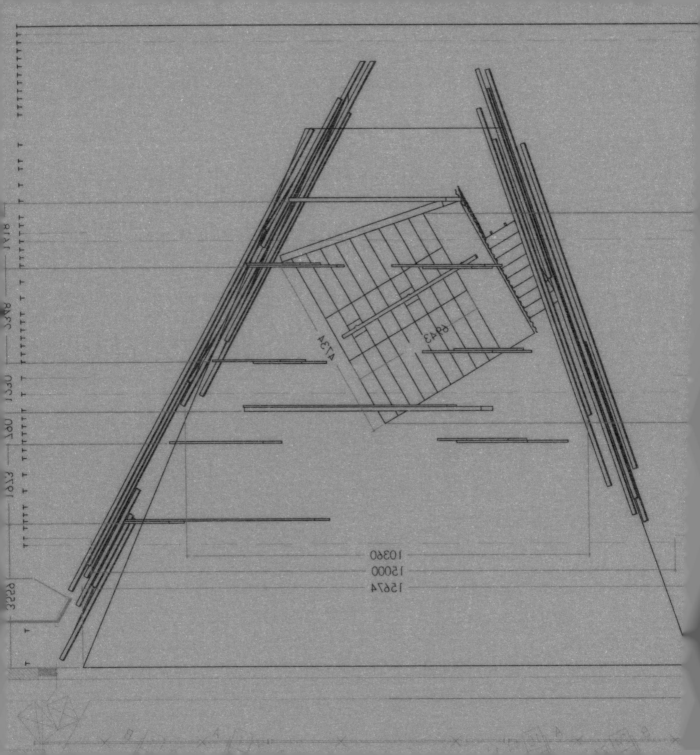

好景——魯師傅與香港舞台：圖集 Setting the Stage: Master Lo and Set Design in Hong Kong — Photo Book

聯合出版：
香港話劇團、中英劇團、香港舞台技術及設計人員協會（《追憶・有德有義魯師傅》出版計劃眾籌召集團體代表）、國際演藝評論家協會（香港分會）

《追憶・有德有義魯師傅》出版計劃眾籌
召集團體（按筆畫序）：香港專業戲劇人同盟、香港舞台技術及設計人員協會、香港舞蹈聯盟、香港演藝學院校友會、香港戲劇協會
召集人（按筆畫序）：王梓駿、甘玉儀、伍宇烈、李浩賢、徐碩朋、曾以德、黃懿雯、溫俊詩、潘詩韻、盧景文、龍世儀、羅國豪

香港話劇團有限公司
電話：(852) 3103 5930
傳真：(852) 2541 8473
電郵：enquiry@hkrep.com
網址：www.hkrep.com

中英劇團有限公司
電話：(852) 3961 9800
傳真：(852) 2537 1803
電郵：info@chungying.com
網址：www.chungying.com

香港舞台技術及設計人員協會有限公司
電郵：hkatts@hkatts.com.hk
網址：www.hkatts.com.hk

國際演藝評論家協會（香港分會）有限公司
電話：(852) 2974 0542
傳真：(852) 2974 0592
電郵：iatc@iatc.com.hk
網址：www.iatc.com.hk

計劃統籌：　　　　　李浩賢、潘詩韻
行政統籌：　　　　　黃懿雯
資料統籌：　　　　　曾以德、梁菀桐
編輯：　　　　　　　潘詩韻、陳國慧、朱瓊愛、林喜兒
執行編輯：　　　　　郭嘉棋、楊寶霖
封面設計及排版：　　張惠淳
印刷：　　　　　　　綠藝（海外）制作
發行：　　　　　　　一代匯集

2023年11月初版
定價：　　　　　　　港幣480元
國際書號：　　　　　978-988-76138-1-7
Printed in Hong Kong

香港話劇團、中英劇團由香港特別行政區政府資助
Hong Kong Repertory Theatre and Chung Ying Theatre Company are financially supported by
the Government of the Hong Kong Special Administrative Region

國際演藝評論家協會（香港分會）為藝發局資助團體
IATC(HK) is financially supported by the HKADC

香港藝術發展局全力支持藝術表達自由，本計劃內容並不反映本局意見。
Hong Kong Arts Development Council fully supports freedom of artistic expression.
The views and opinions expressed in this project do not represent the stand of the Council.